D1269102

VIVA MEXICO

Este libro fue realizado en colaboración con la Muestra Internacional de Ilustración para la Infancia Sàrmede (TV), Italia. Las ilustraciones forman parte de la 31ª Muestra *Le immagini della fantasia*.

A Niccolò,
nacido en estas páginas,
como un sueño.

A Enrico, a Emanuele,
a todas las historias que inventamos juntos.
L.D.C.

Dal Cin, Luigi
La calaca llora y la serpiente sueña, cuentos y leyendas de México / Luigi Dal Cin ; trad. de Fabio Morábito ; ilus. de Gabriel Pacheco, Javier Zabala, Manuel Monroy, Enrique Torralba, Natalia Gurovich… [et al.] – México : Ediciones SM, 2014
46 p. : il. ; 30 x 24 cm.

ISBN (tapa dura): 978-607-24-0814-2

1. Literatura italiana. 2. Leyendas – Adaptaciones – Literatura infantil. 3. Mitología indígena – Literatura infantil. I. Morábito, Fabio, tr. II. Pacheco, Gabriel, il. III. Zabala, Javier, il. IV. Monroy, Manuel, il. V. Torralba, Enrique, il. VI. Gurovich, Natalia, il. VII. t.

Dewey 853 D3518

Edición: Libia Brenda Castro y Federico Ponce de León
Dirección de arte: Quetzatl León Calixto
Traducción del italiano: Fabio Morábito

Título original: *I sogni del serpente piumato, fiabe e leggende del Messico*

Responsable editorial: Antonella Vincenzi
Curadora del proyecto: Monica Monachesi

Primera edición, 2014

Magdalena 211, Colonia del Valle, 03100, México, D. F.
Tel.: (55) 1087 8400
Para conocer SM, su fondo editorial y sus servicios: www.ediciones-sm.com.mx
Para andar entre, hacia y con los libros: www.andalia.com.mx
Para comprar libros de SM en línea: www.libreriasm.com

ISBN: 978-607-24-0814-2

Miembro de la Cámara Nacional de la Industria Editorial Mexicana
Registro número 2830

Impreso en México / *Printed in Mexico*

La calaca llora y la serpiente sueña, cuentos y leyendas de México se terminó de imprimir en enero de 2014 en Duplicate Asesores Gráficos, S. A. de C. V., Callejón San Antonio Abad núm. 66, col. Tránsito, C. P. 06820, Cuauhtémoc, México D. F.
En su composición se empleó la fuente ITC Century Book.

Textos • **Luigi Dal Cin**

Traducción • **Fabio Morábito**

Ilustración de portada • **Gabriel Pacheco**

Ilustraciones de interiores:

El sueño de los dioses • **Antonella Abbatiello**

El Sol enamorado de la Luna • **Enrique Torralba**

Las mariposas • **Israel Barrón**

La Serpiente Emplumada • **Gabriel Pacheco**

Las plumas del murciélago • **Simone Rea**

Los dos regalos misteriosos • **Manuel Monroy**

El Flechador del Sol • **Gerardo Suzán**

El regalo del ciervo • **Giulia Orecchia**

El vuelo de los pensamientos • **André Neves**

Las manchas del jaguar • **Natalia Gurovich**

La Llorona • **Arianna Vairo**

El misterio del fantasma • **Javier Zabala**

El pájaro carpintero y el maíz • **Marta Farina**

El sueño de los dioses

Mito wixárica

Hace mucho tiempo solo existía el océano.

Y en el océano vivían los dioses.

Los dioses soñaban, y eso era suficiente para que diera comienzo la vida.

Pero a fuerza de ver océano, océano y solo océano, los dioses empezaron a aburrirse.

Un día Kauyumari, el más pequeño, soñó con un lugar adonde ir.

—Soñé con un lugar seco y lleno de luz, un lugar en el que un día nacerá una bola brillante que se llamará sol. ¡Hay que ir ahí!

—¿Pero cómo vamos a ir, si no existe? —replicó Maxakuaxi.

Kauyumari contestó:

—¿Cómo sabes que no existe, si nunca hemos ido a buscarlo?

Los dioses, entonces, empezaron a caminar, y con sus pasos crearon el mundo.

Primero crearon la playa, con la arena y las conchas de muchos colores, y como vieron que era divertido, siguieron caminando.

Luego crearon las flores, los árboles, los estanques y las ranas. Cuando las oyeron croar, se echaron a reír y pensaron que todo iba a la perfección, así que avanzaron cada vez más. Crearon los promontorios, las laderas de las montañas, las rocas y todo lo que vemos. Sin embargo, de vez en cuando alguno de ellos se cansaba de esa peregrinación, porque crear el mundo no es fácil, hay que ir adonde nadie ha pisado antes, y eso requiere mucho esfuerzo. Pero como la mayoría quería seguir andando, solo unos pocos se detenían, transformándose enseguida en manantiales, en cerros o en árboles seculares, que parecen estar ahí desde siempre.

El Sol enamorado de la Luna

Leyenda de origen maya

Hace mucho tiempo el dios Sol se enamoró de la Luna. Empezó a regalarle sus rayos, pero la Luna permanecía fría en su helada blancura.

"¿Qué podré hacer para conquistarla?", se decía el Sol, hasta que tuvo una idea: "Todos los días cruzaré frente a la casa de la Luna cargando un venado en mis hombros: sin duda quedará cautivada por mi habilidad de gran cazador".

Pero en vez de cazar, agarró una piel de venado y la rellenó de ceniza: "Así no me cansaré", pensó satisfecho.

Y así, todas las tardes, a la hora del ocaso, cuando la Luna se disponía a salir, el Sol cruzaba frente a ella con el falso venado a cuestas.

Pasaron los días y, justo cuando la Luna empezaba a mostrar cierto interés en lo que hacía el dios, el Sol estaba tan emocionado que se tropezó: el falso venado fue a chocar contra unos arbustos llenos de espinas, la piel se rasgó y dejó tras de sí un reguero de ceniza incandescente.

Esa noche el cielo se llenó de estrellas.

Fue un espectáculo prodigioso para el Sol, para la Luna y para todos los hombres, que desde entonces levantan asombrados los ojos hacia el cielo e intentan contar las estrellas.

Las mariposas

Cuento basado en una leyenda purépecha

Era la noche del Día de Muertos. El abuelo acababa de contar a su nieta una de sus historias. Había entrecerrado los ojos.

—Abuelo —lo llamó la niña.

—Sí, mija —contestó el abuelo abriendo los ojos.

—¿Te dormiste?

El abuelo se enderezó con trabajo.

—Estaba soñando.

La niña se quedó en silencio.

—Soñé que atrapaba una mariposa con una red de hilo delgado, para no lastimarla —siguió.

La niña sonrió sin decir nada.

—Era una mariposa estupenda, la más hermosa de todas. ¡La hubieras visto!

La niña se sentó en sus rodillas y le dijo:

—¡Entonces ocurrió también esta vez, como todos los años! Era la abuela, ¿verdad?

—Dicen que en esta noche las almas de nuestros amados nos visitan en forma de mariposa. Pero yo quisiera que la abuela estuviera aquí conmigo, no solo en mis sueños.

El abuelo volvió a cerrar los ojos. La niña esperó un poco. Luego se bajó de sus rodillas. Había oído un fuerte murmullo a través de la ventana abierta. Salió y quedó pasmada. El viento acariciaba la superficie del lago: miles de mariposas volaban en el aire contra el cielo nocturno.

La Serpiente Emplumada

Mito tolteca-mexica

Hace mucho tiempo una brillante pluma color verde cayó del cielo, hasta posarse en el regazo de la diosa de la Tierra. Fue así que la diosa parió a un hijo que recibió el nombre de Quetzalcóatl, la Serpiente Emplumada.

Su nombre venía de *quetzal*, el pájaro espectacular de larga cola que tiene el pecho color rojo y el resto del cuerpo verde brillante con reflejos azules, y de *coatl*, que significa *serpiente*.

Y justo como decía su nombre, Quetzalcóatl poseía las cualidades sólidas de la tierra y las livianas del cielo, de aquello que se arrastra como la serpiente y también de lo que vuela como el quetzal.

Quetzalcóatl era un hombre tan curioso que en poco tiempo llegó a conocer todos los secretos, lo que lo asemejó a los dioses. Se dejó crecer la barba, y pasaba los días meditando en las cuatro casas que se había construido, orientadas hacia las cuatro direcciones del mundo. La primera estaba hecha de piedras preciosas color verde; la segunda, de conchas blancas; la tercera, de conchas rosas, y la última estaba recubierta de maravillosas plumas de quetzal. Era poderoso, pero también amable con cualquiera que se topara en su camino, y por eso mucha gente lo quería.

Sin embargo, el dios de la guerra envidiaba las cualidades de la Serpiente Emplumada. Un día fue a verlo, llevaba dos jícaras en las manos. "Bebe conmigo —le dijo—. Este néctar te hará ver el mundo como lo ven los dioses".

Las dos jícaras contenían pulque.

Quetzalcóatl confió en él y bebió. Aunque el pulque tenía un sabor exquisito, llenó su corazón de alegría y pobló su mente de hermosas visiones, lo debilitaba con cada trago. El dios de la guerra hizo que Quetzalcóatl bebiera más y, conforme bebía, se apagaba la luz divina que brillaba en él.

Se habría muerto de no ser porque los dioses se apiadaron de él y arrojaron un relámpago que, en lugar de cegar a la Serpiente Emplumada, iluminó su mente y purificó su corazón.

Para dar las gracias a los dioses que lo habían salvado, Quetzalcóatl emprendió una larga caminata hacia el lugar donde nace el dios Sol, acompañado por sus amigos, y llegó al mar.

Allí, luego de meditar y rezar, construyó una balsa con serpientes entrelazadas.

Cuando estuvo lista, subió en ella y zarpó, y a sus amigos, que estaban tristes por su partida, les dijo: "¡No lloren, porque regresaré!".

El pueblo de los mexicas no olvidó nunca esa promesa. De padre a hijo se transmitió la esperanza de que un día la Serpiente Emplumada regresaría al lugar en donde se había hecho a la mar. Por eso, cuando Cortés, el cruel conquistador español que tenía barba como Quetzalcóatl, llegó desde el este en sus barcos cargados de feroces soldados, los mexicas lo recibieron felices, convencidos de que era la Serpiente Emplumada que volvía con su gente.

calmecac

calmecac

Las plumas del murciélago

Leyenda zapoteca

Cuenta la leyenda que el murciélago llegó a ser alguna vez el ave más bella de la Creación. En el comienzo de los tiempos era exactamente como lo conocemos hoy y se llamaba biguidibela, que significa *mariposa desnuda.*

Un día frío de invierno voló hasta el cielo para pedirles a los dioses unas plumas para abrigarse, como las que poseían todos los pájaros. Pero los dioses ya no tenían plumas para darle y le aconsejaron que regresara a la tierra y le pidiera a cada pájaro una pluma de regalo.

Así lo hizo el murciélago, pero solo fue a ver a los pájaros que tenían los colores más brillantes. Por eso, cuando terminó de recoger las plumas de cada uno, su plumaje era esplendoroso.

Consciente de su hermosura, fue a pavonearse con todas las aves. Era muy hermoso, en efecto, y de su vuelo nació el arcoíris.

Pero era tan presumido que empezó a tratar con desdén a sus semejantes, a burlarse de ellos porque lucían insignificantes a su lado.

Hasta al colibrí le reprochó no poseer ni la décima parte de su belleza.

Cuando los dioses vieron que el murciélago no se conformaba con disfrutar su nuevo plumaje, sino que lo usaba para humillar a los demás, lo mandaron llamar. También en presencia de los dioses el murciélago empezó a revolotear para que admiraran su belleza, pero entonces empezaron a caérsele las plumas una tras otra.

Llovieron plumas del cielo durante todo el día, y al final el murciélago se halló desnudo como al principio.

A partir de entonces se retiró a vivir en las cuevas y renunció a utilizar el sentido de la vista, para no detonar el recuerdo de todos esos colores que habían sido suyos.

Los dos regalos misteriosos

Leyenda de origen mexica

Hace mucho tiempo el dios Serpiente quiso burlarse de los dos pueblos que vivían en México, los mexicas y los tlatelolcas, y les mandó dos regalos misteriosos, envuelto cada uno en un pedazo de tela, que aparecieron en un lugar llamado Cohuitlicámac, que significa *La boca de la serpiente.*

Llenos de curiosidad, los dos pueblos se amontonaron alrededor de los dos regalos para ver qué contenían.

Cuando abrieron el primero, apareció una piedra maravillosa, verde como la esmeralda, que despedía un resplandor jamás visto.

En el otro solo había dos palos de madera.

Estalló una riña violenta, porque todos querían adueñarse de la piedra preciosa.

Pero el sabio jefe Huilziton ordenó: "¡Dejen de pelear! He decidido que nosotros, los mexicas, tomaremos los dos palos y les dejaremos a ustedes, los tlatelolcas, la piedra preciosa".

Los tlatelolcas regresaron a su pueblo entre gritos de alegría.

Los mexicas, en cambio, amargados por la decisión de su jefe, le preguntaron: "¿Por qué escogiste esos dos palos de madera que no valen nada?".

Sin responderles, el sabio Huiltziton agarró los dos palos y los frotó uno contra otro. Estalló una chispa, y de la chispa nació el fuego.

Fue gracias a esa sabia decisión que los mexicas sobrevivieron durante mucho tiempo. Sus descendientes todavía viven en México.

Los tlatelolcas, en cambio, felices de poseer la piedra preciosa, nunca llegaron a conocer las virtudes del fuego, y desaparecieron rápidamente.

El Flechador del Sol

Leyenda mixteca

En la región de Apoala, dentro de una cueva misteriosa, dos árboles gigantescos se amaron, entrelazando estrechamente sus ramas y raíces. De ese gran amor nacieron el primer hombre y la primera mujer del pueblo mixteco.

Tuvieron muchos hijos, de los que se originaron los diferentes pueblos de la nación mixteca, entre cuyas ciudades estaba Achiutla, la ciudad donde nació Ndazahuíndandaa, el Flechador del Sol.

La población de Achiutla creció tanto que ya no cabía en su territorio, y Ndazahuíndandaa tuvo que ir a conquistar nuevas tierras con su arco y sus flechas para que su gente tuviera un lugar donde vivir.

Caminó durante días sin parar, hasta que llegó a una vasta región deshabitada, que le pareció ideal para que su pueblo se asentara en ella.

Únicamente el sol reinaba ahí con su potente resplandor. Ndazahuíndandaa construyó una fortaleza militar para apropiarse de esas tierras.

Cuando levantó la vista al cielo, vio que ni una sola nube tapaba el sol. Sus rayos parecían flechas y cuchillos que le traspasaban la piel, y por eso Ndazahuíndandaa entendió que el Sol era el amo de esa región.

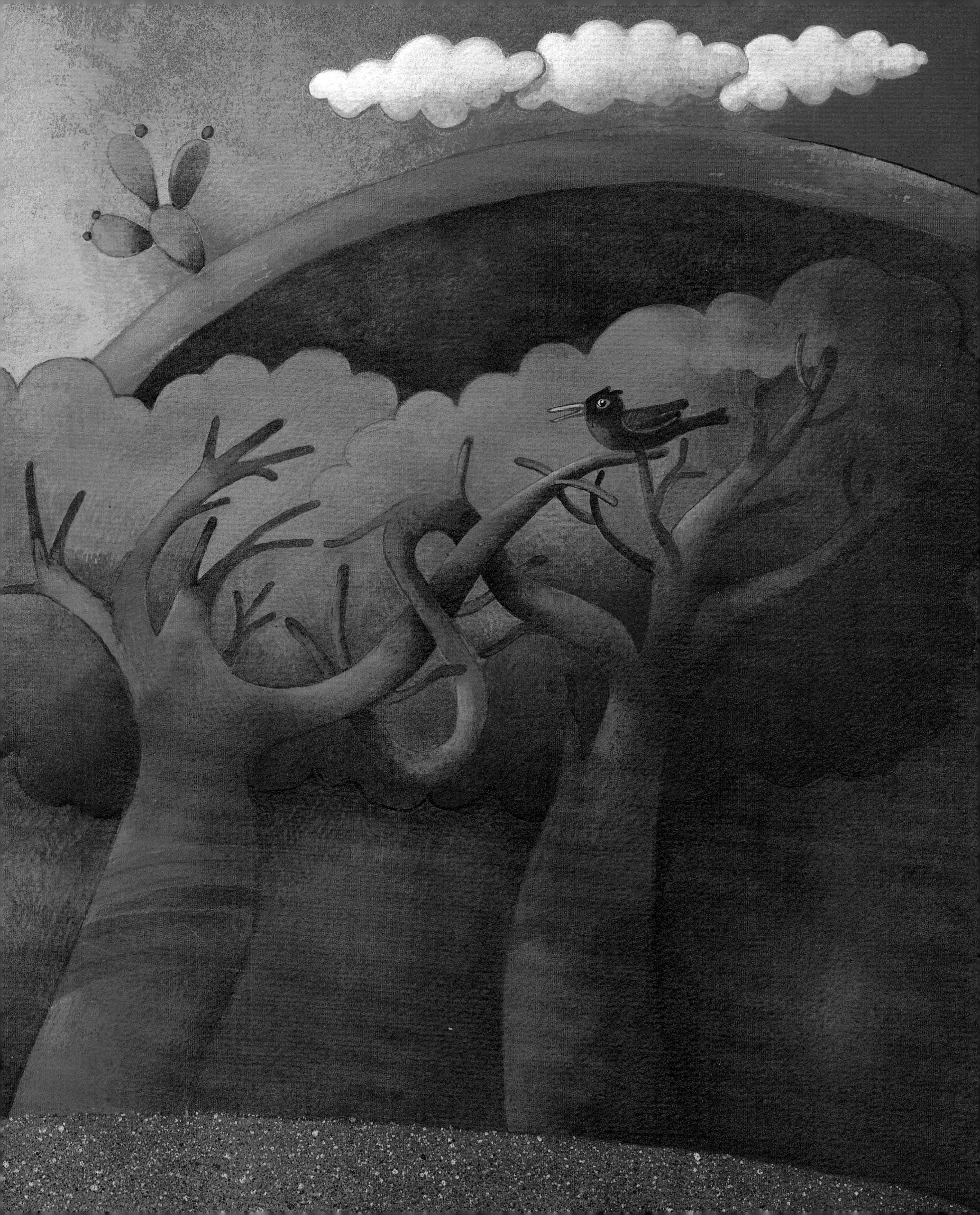

Entonces, para defenderse, empezó a su vez a arrojar contra el sol sus flechas.

Por fin, al atardecer, se dio cuenta de que el Sol comenzaba a debilitarse. Sus rayos habían perdido su fuerza y también el cielo estaba cambiando de color.

Después, lentamente, el Sol empezó a caer. El cielo se volvió rojo, de un rojo cada vez más encendido, hasta que el Sol quedó oculto atrás de los cerros.

El cielo estaba manchado de sangre, ahí donde el potente señor de esas tierras se había desplomado, herido por las flechas de Ndazahuíndandaa.

Ndazahuíndandaa lo había derrotado y desde entonces sus descendientes ocupan las tierras que él logró arrebatarle al Sol.

El regalo del ciervo

Mito wixárica

Esa noche José soñó que se había transformado en un ciervo.

Nadie sueña cosas por casualidad. Los sueños son la voz de los dioses y nunca hay que ignorarlos. Cuando duermes, los dioses te hablan en secreto. Por eso, a menudo en los sueños se ven cosas que no se comprenden.

José era todavía un niño, pero pronto dejaría de serlo. Eso no le gustaba, porque los wixarika piensan que los adultos son un poco ciegos: las preocupaciones nublan su vista y les hacen perder la capacidad de ver la forma del mundo, esa que nos ocultan las cosas de todos los días y que solo los niños y algunos chamanes consiguen ver.

José contó a su abuelo que el ciervo del sueño le había regalado su corazón y que, al hacerlo, se había desplomado sin vida en el suelo. Y en el momento de morir, a él le habían salido la cola y los cuernos de un ciervo, como si el animal, en lugar de morir, hubiera renacido en él.

El abuelo le aconsejó entonces que corriera a buscar el ciervo en el bosque antes de que alguien lo cazara y lo sacrificara, porque, de no hacerlo, se arrepentiría para siempre.

Cuando José volvió a soñar con el ciervo, preparó un poco de comida y decidió ir a buscarlo.

Esa misma tarde vio al animal en el bosque. Sus miradas se cruzaron y se reconocieron.

José se quedó quieto sin saber qué hacer, pero el ciervo empezó a jugar y saltar a su alrededor, como si quisiera jugar a las escondidas.

Era un juego entretenido, pero, sin darse cuenta, José se alejó de su casa, de su pueblo, de sus padres, de todos los lugares que conocía, y de golpe anocheció.

Los días pasaban y la comida estaba a punto de terminarse. Justo entonces apareció un cazador, uno de esos que entran en el bosque y matan por diversión. Acechó al ciervo y al fin lo alcanzó con una flecha.

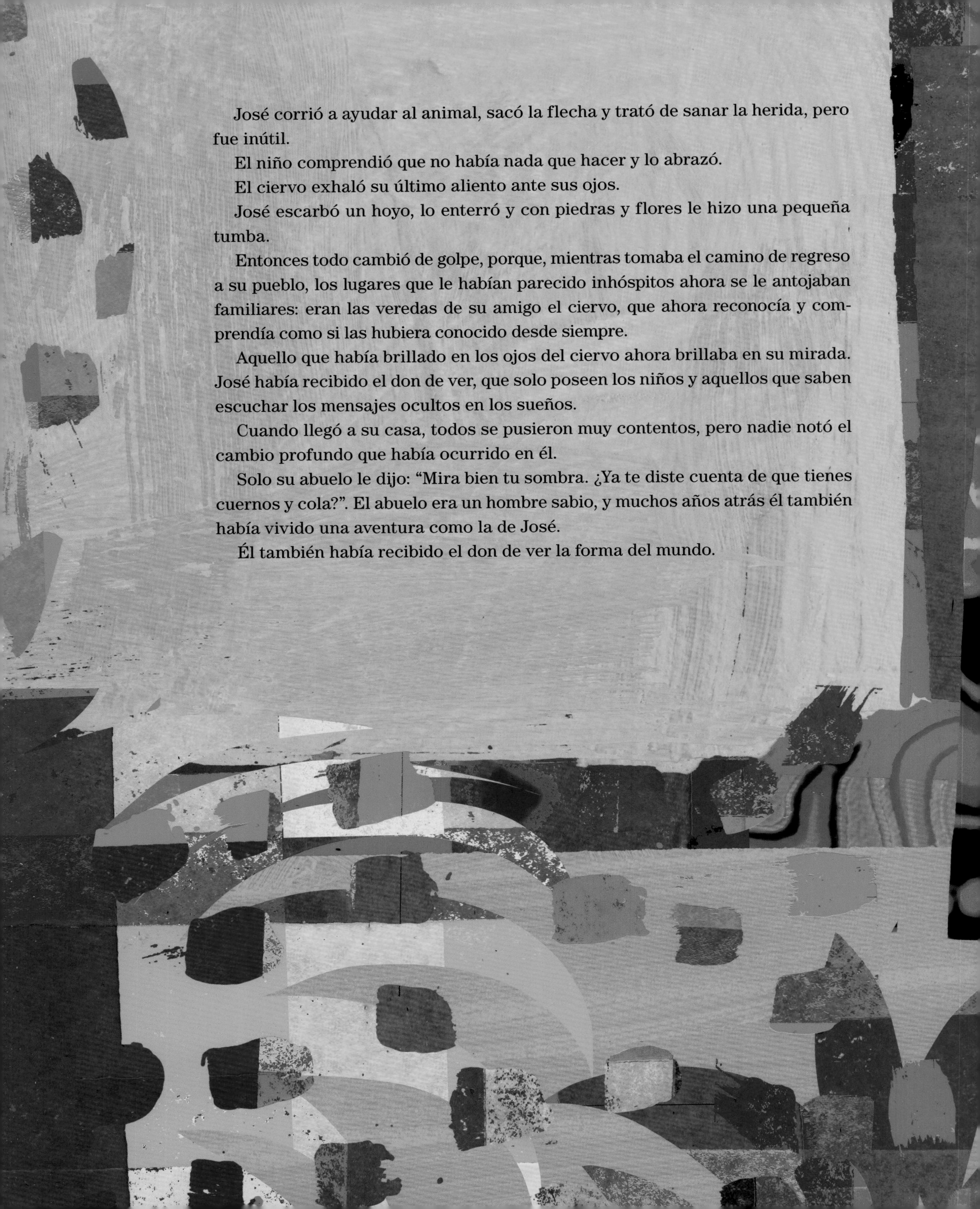

José corrió a ayudar al animal, sacó la flecha y trató de sanar la herida, pero fue inútil.

El niño comprendió que no había nada que hacer y lo abrazó.

El ciervo exhaló su último aliento ante sus ojos.

José escarbó un hoyo, lo enterró y con piedras y flores le hizo una pequeña tumba.

Entonces todo cambió de golpe, porque, mientras tomaba el camino de regreso a su pueblo, los lugares que le habían parecido inhóspitos ahora se le antojaban familiares: eran las veredas de su amigo el ciervo, que ahora reconocía y comprendía como si las hubiera conocido desde siempre.

Aquello que había brillado en los ojos del ciervo ahora brillaba en su mirada. José había recibido el don de ver, que solo poseen los niños y aquellos que saben escuchar los mensajes ocultos en los sueños.

Cuando llegó a su casa, todos se pusieron muy contentos, pero nadie notó el cambio profundo que había ocurrido en él.

Solo su abuelo le dijo: “Mira bien tu sombra. ¿Ya te diste cuenta de que tienes cuernos y cola?”. El abuelo era un hombre sabio, y muchos años atrás él también había vivido una aventura como la de José.

Él también había recibido el don de ver la forma del mundo.

El vuelo de los pensamientos

Leyenda de origen maya

Hace mucho tiempo, después de haber plasmado todas las cosas en la Tierra, los dioses crearon los animales y las plantas, y le asignaron a cada uno una tarea concreta.

Cuando terminaron y decidieron descansar, uno de ellos dijo:

—Se nos olvidó algo importante.

—No molestes, déjanos descansar, hicimos un excelente trabajo —dijeron los otros.

—No hemos confiado a nadie la tarea de llevar los pensamientos —dijo el que había hablado primero.

—Es verdad. Tenemos que crear un nuevo animal.

—Y tendrá que ser muy delicado. Con solo rozarlos, los pensamientos se esfuman.

—¿Y cómo hacemos? ¡Se nos acabó el barro para hacer un nuevo animal!

—¡Usemos entonces un poco de maíz!

Pero también el maíz se había terminado.

—Lo único que queda es una piedrecita de jade en el fondo de este costal —dijo otro.

Entonces tomaron la piedrecita y soplaron sobre ella. Y de repente la piedrecita echó a volar.

Los dioses observaron a su nueva criatura. Era tan liviana que podía acercarse a las flores más delicadas sin mover sus pétalos, y sus plumas brillaban bajo el sol como gotas de lluvia con mil reflejos tornasolados.

A ese frágil pajarito los dioses confiaron los pensamientos. Fue así que crearon el colibrí.

Las manchas del jaguar

Leyenda de origen mesoamericano

Hace mucho tiempo los animales no se comían unos a otros. Todos se alimentaban de hierbas, frutos y granos.

El que descollaba entre todos era el jaguar, por su hermosa figura y su estupendo pelaje amarillo, que cuidaba con esmero, acicalándolo con la lengua para eliminar la menor partícula de barro y de polvo.

Un día, al atardecer, el jaguar jugaba con los monos, y uno de ellos, en medio del relajo, le aventó un mamey que le pegó en la espalda. Al ver su preciosa piel manchada por el jugo del mamey, el jaguar montó en cólera y le propinó al mono un zarpazo que le dejó la piel rasgada horriblemente. ¡Qué bien olía la sangre que salía de las heridas! El jaguar arrastró al mono en lo denso de la selva y lo devoró.

Entre gritos y alaridos los otros monos corrieron a relatar el suceso al Señor del Cerro, que gobernaba la vida en la selva.

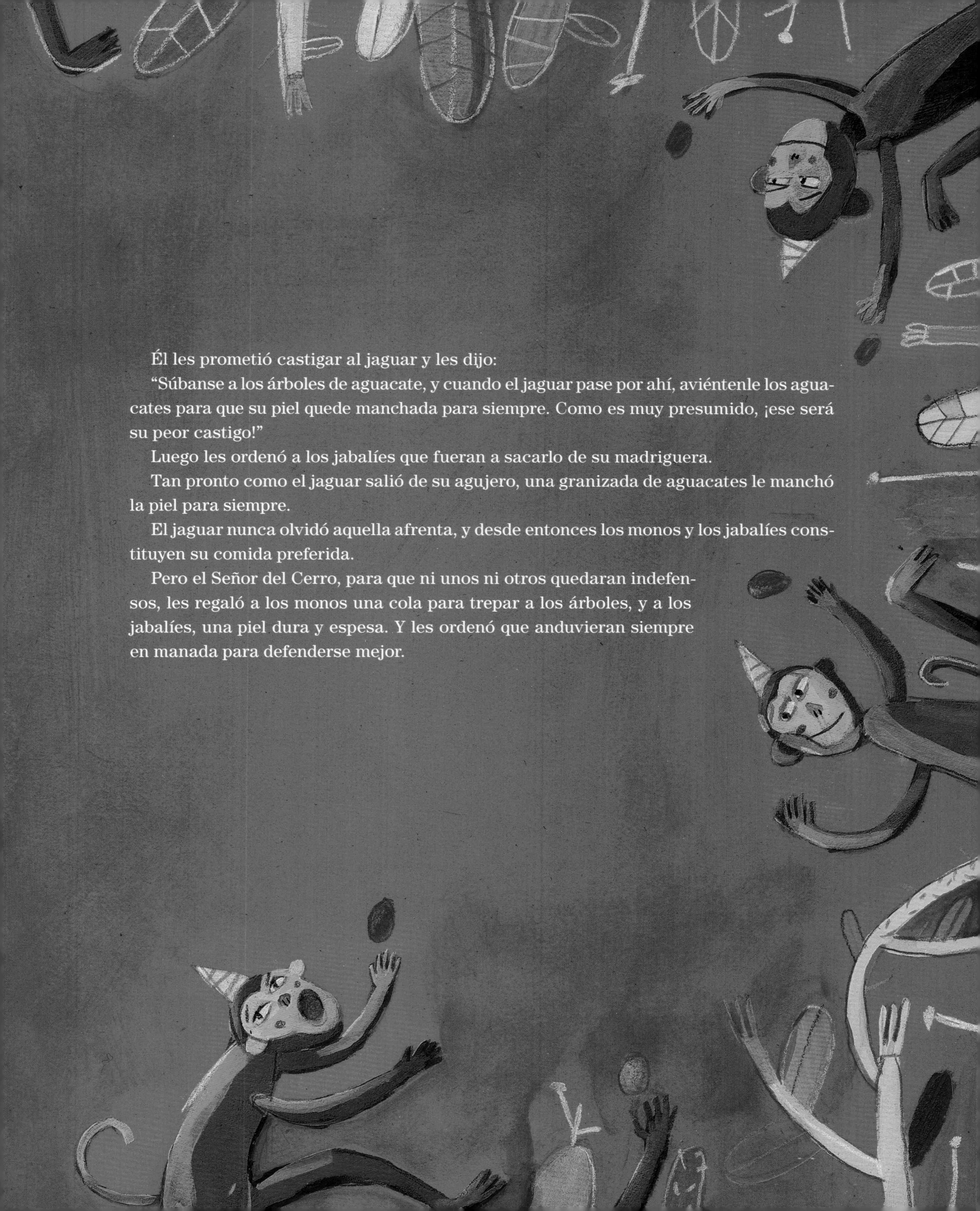

Él les prometió castigar al jaguar y les dijo:

"Súbanse a los árboles de aguacate, y cuando el jaguar pase por ahí, aviéntenle los aguacates para que su piel quede manchada para siempre. Como es muy presumido, ¡ese será su peor castigo!"

Luego les ordenó a los jabalíes que fueran a sacarlo de su madriguera.

Tan pronto como el jaguar salió de su agujero, una granizada de aguacates le manchó la piel para siempre.

El jaguar nunca olvidó aquella afrenta, y desde entonces los monos y los jabalíes constituyen su comida preferida.

Pero el Señor del Cerro, para que ni unos ni otros quedaran indefensos, les regaló a los monos una cola para trepar a los árboles, y a los jabalíes, una piel dura y espesa. Y les ordenó que anduvieran siempre en manada para defenderse mejor.

La Llorona

Leyenda popular mexicana

—Mamá, ¿me cuentas de nuevo la historia de la Llorona?

Era de noche y el niño acababa de sentarse frente a su madre.

—Está bien, pero ¿no te va a dar miedo como la última vez?

El niño sonrió.

—Es una leyenda muy antigua —empezó su mamá—. Dicen que los lamentos de la Llorona ya se oían desde antes que los soldados españoles conquistaran la gran Tenochtitlán, la ciudad de nuestros antepasados.

La madre miró fijamente a su hijo y siguió:

—Nadie salía de su casa después de la medianoche. Todos cerraban bien sus puertas porque el terror estaba a punto de embargar sus almas. Y de repente, acercándose despacio, se oía ese lamento desgarrador y lleno de sufrimiento. Al oírlo, a uno se le enchinaba la piel, se le erizaba el pelo y se le helaba la sangre.

¡Era la Llorona, que lloraba por sus hijos muertos! "¡Ay, mis hijos!", gritaba, vestida de blanco y con el rostro cubierto por un velo. Había cruzado los campos solitarios y ahora atravesaba sollozando las calles y las plazas de la ciudad, levantaba los brazos de la desesperación y lanzaba ese horrible grito que sumía a todo el mundo en el terror: "¡Ay, mis hijos, mis hijos!".

El niño se levantó y buscó refugio en brazos de su madre.

—¡Tengo miedo! ¡Apriétame fuerte!

La mamá sonrió y abrazó a su niño.

El misterio del fantasma

Leyenda colonial mexicana

Aquel caserón había sido construido por el conquistador Martín Oyarza, que para reforzar sus cimientos había utilizado estatuas y piedras arrancadas a los templos de los indios. Tenía sombras por doquier y aun en pleno día la luz del sol no lograba barrer del todo la oscuridad.

Cuando el conquistador murió, el caserón quedó en lamentable abandono, al grado de que a menudo caían a la calle gruesas piedras, con grave peligro para los transeúntes. Las autoridades revisaron el edificio y llegaron a la conclusión de que las piedras no podían desprenderse por sí solas. Así, cuando la casa fue adquirida por el señor Luis Dorante, que empezó a vivir en ella y contó que había un fantasma blanco que se desvanecía como una neblina contra los muros, todos pensaron que era el fantasma quien tiraba las piedras.

Don Luis era un hombre de vasta cultura: no dejaba de hojear los libros de su enorme biblioteca y había escrito un grueso libro en el que logró concentrar todos sus conocimientos. Su esposa, doña María, estaba siempre atareada, bordaba paños de terciopelo y preparaba guisos de sabor insuperable. Pero tanto el uno como la otra, a la vista del fantasma, quedaban lívidos, sin poder moverse. Fue así que en aquel caserón los ojos se dilataban del susto y las bocas proferían gritos de terror. Aquella noche, particularmente, el grito de don Luis rebotó en cada muro de la casa. Doña María lo encontró sentado

Pajares
nieve. Cual
la vulnerabilidad
Tierra Media
hombre (indefenso).
—ERASMO
comunidad expende-
y no en la totalidad
Salgado replicó
Los políticos
BARATO
la mis-
fácil que
previsión
Bolsas,
Si la

El pájaro carpintero y el maíz

Leyenda maya

Hace mucho tiempo la tierra producía pocos frutos y los hombres estaban hambrientos. No conocían el maíz, que estaba oculto dentro de una montaña.

Las hormigas fueron las primeras que descubrieron donde se hallaba oculto el maíz, y de inmediato lo cargaron en sus hombros para transportarlo hasta el hormiguero.

"Ese maíz sería nuestra salvación —dijeron los hombres—, pero ¿cómo entrar en la montaña para sacarlo? ¡Pidamos ayuda a los dioses!"

El viejo dios de la lluvia se apiadó de ellos y decidió ayudarlos. Llamó al pájaro carpintero y le dijo: "Prepárate para una gran tarea. Tienes que golpear con tu pico toda la montaña hasta encontrar el punto donde la roca es menos gruesa. De tu habilidad depende de que los hombres sobrevivan".

El pájaro carpintero echó a volar, y cuando llegó a la montaña empezó a golpearla con su pico, hasta que descubrió su punto más débil. Entonces silbó muy fuerte y corrió a esconderse.

Oída la señal, el dios de la lluvia arrojó un rayo que pegó en el punto indicado por el pájaro carpintero.

Hubo una gran explosión; la montaña se abrió y empezó a vomitar una enorme cantidad de maíz, en medio de los gritos de felicidad de los hombres. El calor producido por el rayo había sido tan intenso que algunos granos de maíz, originalmente blancos, se chamuscaron hasta volverse negros, otros al requemarse agarraron un color rojo, otros estaban cocidos y otros, por último, se habían teñido de amarillo.

Es por eso que todavía hoy existen en el mundo cuatro variedades de maíz: negro, rojo, amarillo y blanco.

en un sillón, casi inconsciente, con un vasito de licor en la mano con el que había procurado reanimarse.

"No sé si ya me había dormido —le contó don Luis a su mujer—, pero vi a mi padre, que, temblando de pies a cabeza, apuntaba con un dedo hacia el fantasma. 'Luis, pregúntale dónde está el tesoro', me decía. Habría querido obedecerle pero el miedo me impidió abrir la boca. El espectro, entonces, levantó una de las tablas del piso. '¿Está ahí el dinero?', preguntó mi padre, pero el fantasma, sin contestar, se abalanzó contra mí. Fue como recibir sobre mi cuerpo una fría losa de mármol. ¡Entonces grité!"

Esa misma noche don Luis y doña María decidieron levantar la tabla del piso y descubrieron debajo de ella una cavidad profunda. "¡El tesoro!", gritaron. En el fondo del agujero había algo blanco: don Luis hundió el brazo y sacó un paquete amarrado con una cinta roja. Pesaba poco para ser dinero. Los dedos ansiosos de la mujer desataron los nudos y apareció un manuscrito.

"¡Solo son hojas!", dijo desalentada doña María.

"¡Hojas!", gritó don Luis con júbilo, pero palideció cuando leyó las primeras líneas. "¡Qué horror!", dijo, y se desmayó.

También doña María leyó unos renglones. "¡Virgen Santa!", gritó, "¡No lo puedo creer!", y perdió el sentido al igual que su esposo.

Entonces del muro brotó el espectro, se inclinó sobre la pareja y agarró las hojas. Luego, envuelto en su blanca vestimenta, desapareció detrás de una roja cortina de damasco, que se movió apenas, como tocada por una brisa ligera.